Somos amigos de Jesus

Catequese para toda a vida

Irmão Nery

Ilustrações Tina Glória

EDITORA AVE-MARIA

© 2008 by Editora Ave-Maria. All rights reserved.
Rua Martim Francisco, 636 – 01226-000 – São Paulo, SP – Brasil
Tel.: (11) 3823-1060 • Fax: (11) 3663-5305
Televendas: 0800 7730 456
editorial@avemaria.com.br • comercial@avemaria.com.br
www.avemaria.com.br

Capa: Carlos Eduardo P. de Sousa

ISBN: 978-85-276-1199-2

Printed in Brazil – Impresso no Brasil

3. ed. – 2015

**Dados Internacionais de Catalogação na Publicação (CIP)
(Câmara Brasileira do Livro, SP, Brasil)**

Nery, Irmão
Somos amigos de Jesus: Catequese para toda a vida / Irmão Nery;
ilustrações Tina Glória. – São Paulo: Editora Ave-Maria, 2008.

ISBN 978-85-276-1199-2

1. Deus - Amor 2. Catequese - Igreja Católica 3. Primeira Comunhão
- Estudo e ensino I. Glória Tina II. Título.

08-02657	CDD-264.36

Índices para catálogo sistemático:
1. Catequese bíblica: Primeira Eucaristia: Cristianismo   264.36
2. Primeira Eucaristia: Catequese bíblica: Cristianismo   264.36

Diretor Geral: Marcos Antônio Mendes, CMF
Diretor Editorial: Luís Erlin Gomes Gordo, CMF
Gerente Editorial: Valdeci Toledo
Editora Assistente: Carol Rodrigues
Revisão: Adelino Coelho, Marcia Alves, Isabel Ferrazoli, Vera Quintanilha
e Maria Alice Gonçalves
Diagramação: Carlos Eduardo P. de Sousa
Impressão e acabamento: Gráfica Ave-Maria

CLARET
PUBLISHING GROUP

A Editora Ave-Maria faz parte do Grupo de Editores Claretianos
(Claret Publishing Group).
Bangalore • Barcelona • Buenos Aires • Chennai •
Macau • Madri • Manila • São Paulo

Sumário

1. Somos amigos de Jesus 6
2. Amigos têm problemas? 8
3. Amigos enchem o dia de alegria 12
4. Estar juntos 16
5. A lei do maior 19
6. Jesus nos ensina a conversar com Deus 23
7. Aprendemos a amar a Deus 28
8. Cidadãos deste mundo 34
9. Um novo segredo para a felicidade 37
10. Um gesto tão simples, mas... 40
11. Homenagem à mamãe de Jesus 44
12. A saudação a Maria 48
13. A Primeira Comunhão Eucarística 53
14. Amigos para sempre 58

Nome:_____
_____

Responsáveis:_____
_____
_____

Paróquia:_____
_____

Meus melhores amigos:_____
_____
_____

1. Somos amigos de Jesus

Somos um grupo de amigos: Maíra, Cassilda, Babo, Moscão e Matilda.

Somos amigos porque nossas famílias são muito unidas.

E no ambiente de amor de nossas famílias, crescemos como amigos.

Mas há algo em nosso grupo que faz a diferença: desde pequeninos nossos pais nos revelaram o maior de todos os amigos, Jesus Cristo.

E é por isso que dizemos para todos que somos os amigos de Jesus.

Não podemos nos esquecer aqui de agradecer muito a nossos queridos pais. Eles nos deram a graça de sermos amigos entre nós e amigos de Jesus. É bom que eles saibam que a amizade que temos com Jesus torna ainda mais forte nossa amizade no grupo.

E queremos agradecer a Deus porque, com a ajuda de Jesus, seu Filho querido, estamos crescendo sadios e felizes em idade, tamanho, graça e amor.

2. Amigos têm problemas?

Aliás, entre meninos e meninas, apesar da enorme amizade que os une, há alguns desentendimentos e bate-bocas. Dizem que isso é da idade, da nossa idade. E, de fato, nos sentimos melhor assim: meninas com meninas e meninos com meninos. Mas em nosso grupo de amigos procuramos crescer na amizade entre todos. É difícil, mas vale a pena, mesmo que haja alguns desentendimentos.

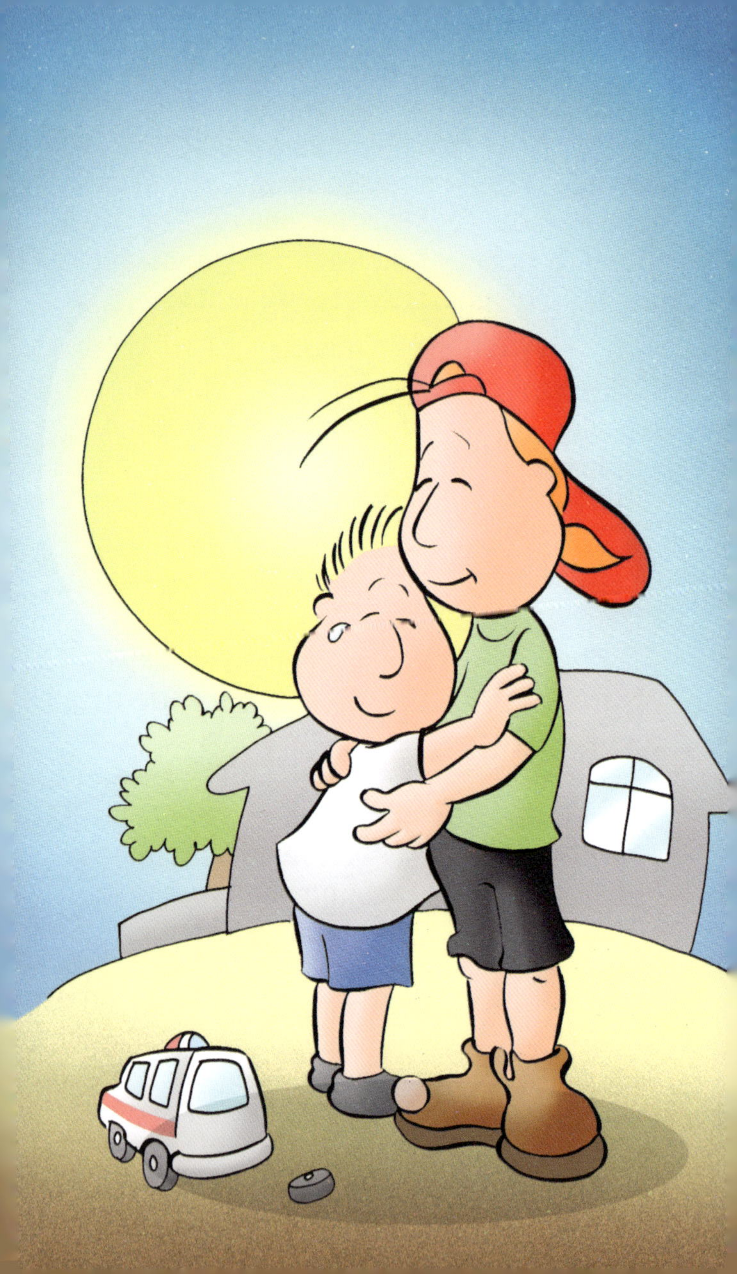

Só que aprendemos de nossos pais e de nossos catequistas e educadores algo precioso: o perdão. É verdade mesmo. Nós nos perdoamos. Aliás, até mais que isso. Nós nos reconciliamos porque, além de perdoar, voltamos à amizade, com mais vontade de só fazer o bem, de não fazer nada que possa magoar o outro.

Claro que somos diferentes um do outro. Cada um é um. Fomos aprendendo que cada um deve fazer o possível para compreender o outro. É difícil, mas vale a pena. E o bonito na nossa amizade é que todo dia aprendemos um pouco mais a conhecer os amigos e a conviver bem com eles e, também, a perdoar, a reconciliar...

3. Amigos enchem o dia de alegria

Uma coisa bonita que eu aprendi com meus pais é dizer todos os dias, logo ao acordar, "bom dia" para Jesus e "bom dia" para todo o mundo. Falei sobre isso para meus amigos. Somente para dois deles era novidade. Agora todos sabem como fazer.

Depois do primeiro "bom-dia", enchemos a casa de "bons-dias". Dizemos "bom dia" para cada pessoa que encontramos. E pedimos que o papai e a mamãe nos abençoem. Nós temos certeza de que é muito bom começar o dia assim, desejando o bem a todos. Isso nos faz muito bem.

E sabem de uma coisa? Nós não nos esquecemos de dar "bom dia" para o gatinho, para o passarinho, para o cachorrinho.

Nossos pais nos ensinaram que os animais também ficam felizes quando somos felizes. É que eles, do jeito deles, são nossos amigos e nos querem bem. E isso é verdade.

Nossos pais nos ensinaram também que quem cuida dos outros, dos animais, das plantas, da água e das coisas, recebe felicidade em dobro.

E outra coisa importante. À noite, quando vamos dormir, depois de agradecer por tudo que vivemos e aprendemos e de dizer "boa noite" a nossos pais e irmãos, sempre dizemos: "Boa noite, Jesus!".

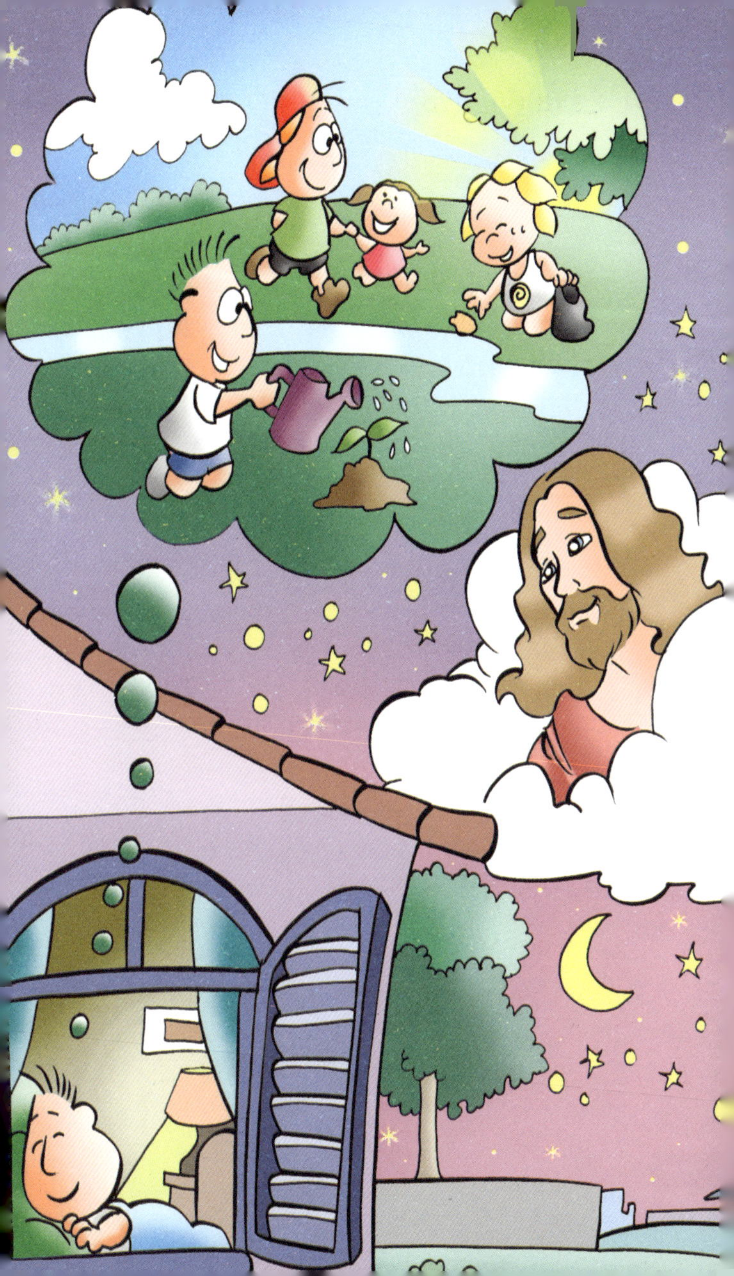

4. Estar juntos

Cada um de nós tem a sua família, e, é lógico, moramos em casas diferentes. Mas sempre damos um jeito de estarmos juntos. Por exemplo, nós nos encontramos na escola. Mas há amigos que estão em outras escolas. O jeito é irmos na casa um do outro. E, às vezes, com autorização de nossos pais, vamos juntos ao parque, ao cinema, ao *shopping*.

Existem, porém, outras maneiras de estarmos juntos. Por exemplo, telefonando, mandando *e-mails* para aqueles que têm computador em casa.

E há um jeito muito nosso de estar no coração um do outro: rezando para que Jesus esteja no coração de cada um.

Um outro modo de estarmos juntos — e isso para nós e nossas famílias é algo sagrado — é pela reunião na Igreja com todos os amigos de Jesus que conosco formam o seu povo querido, seu povo santo.

Digo a vocês que a nossa amizade cresceu e ficou mais forte, e a união de nosso grupo melhorou muito. Um dia, na catequese, aprendemos por meio da Bíblia que Jesus se faz presente quando duas ou três pessoas estão reunidas em seu nome. Ora, acontece que somos os amigos de Jesus. Portanto, ele está no meio de nós, e nós estamos com ele.

5. A lei do maior

E por falar em Bíblia, estou me lembrando de uma coisa importante. Um dia, na Igreja, fui convidada a ler um trecho da Bíblia. Uma bonita história. E li direitinho. Quando terminou a celebração, todos vieram me dar um abraço. E depois, em grupo, conversamos sobre aquele texto que eu havia lido.

E não me esqueci não. A história é a seguinte:

"Um dia, Jesus decidiu com seus amigos dar uma marca para o grupo, algo que fizesse realmente a diferença. Devia ser uma marca bem original e inconfundível. Tinha de ser algo bem significativo, muito importante. E ele disse que qualquer pessoa que um dia quisesse fazer parte do seu grupo de amigos tinha de aceitar aquela marca e colocá-la bem no centro de sua vida.

E, de fato, depois de algumas explicações, Jesus disse: — Todos já sabem que o primeiro mandamento é 'amar a Deus sobre todas as coisas'. Este é, na verdade, o maior mandamento. Portanto, quem quiser ser meu amigo, formar parte do meu grupo de amigos, precisa 'amar a Deus sobre todas as coisas'!

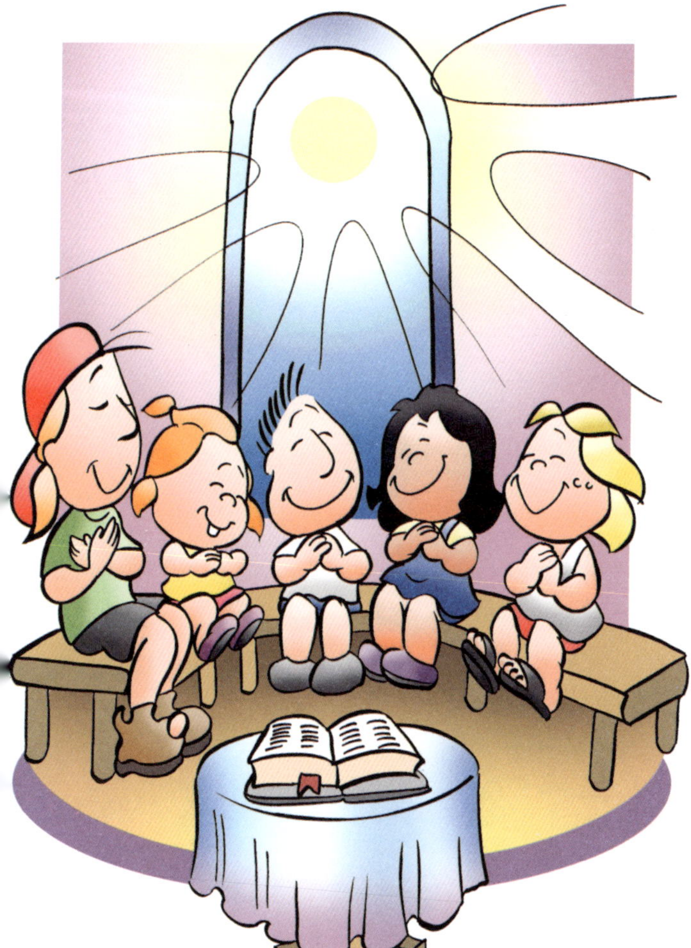

Em seguida Jesus, com voz muito emocionada, acrescentou:

— Esta é, porém, a nossa marca, que fará a diferença em nosso grupo. Nisto todos vão saber que vocês são os meus amigos, isto é, se vocês se amarem uns aos outros como eu amo vocês! Este é o meu mandamento, o meu novo mandamento."

É evidente que esta é também a nossa marca, a marca de nosso grupo, afinal somos amigos de Jesus: amar os outros como Jesus nos ama.

6. Jesus nos ensina a conversar com Deus

No ano passado, a nossa catequista nos contou como Jesus ensinou seus amigos a falarem com Deus. "Na oração, tratem a Deus de Pai, Pai nosso! Porque Deus é bondade, misericórdia, amor, justiça. Pensem no amor de um pai bondoso. Ora, Deus nos ama mais que todos os pais deste mundo."

E nossa catequista nos explicou que Jesus deu um roteiro de como conversar com Deus. Vou colocá-lo aqui. Espero não esquecer nada.

Primeiro — existe o endereço "Pai nosso, que estais no céu". Céu, na cultura da época de Jesus, significava o lugar de todas as felicidades. Felicidade que dura para sempre. Aliás, Deus é a felicidade total.

Segundo — há três pedidos a favor de Deus, nosso Pai do céu:

a) que seu nome seja santificado, isto é, amado, respeitado, promovido;

b) que seu reinado de amor, justiça, fraternidade e paz venha ao nosso coração, a este mundo;

c) que a santa vontade de Deus seja realizada por mim, por vocês, por todas as pessoas, grupos e sociedades.

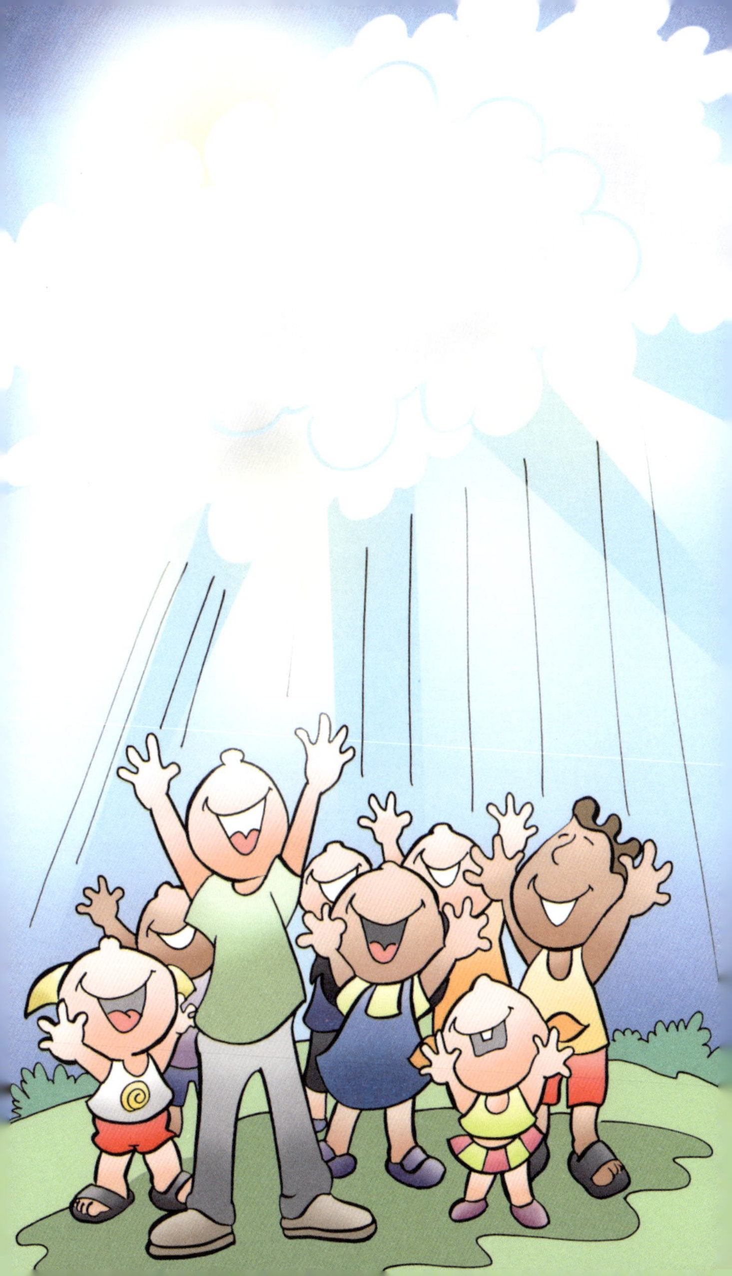

Terceiro — há quatro pedidos a nosso favor:

a) que nunca nos falte o necessário para cada dia. Esse necessário é simbolizado na palavra pão: "o pão nosso de cada dia";

b) que saibamos perdoar as pessoas para poder receber o perdão de Deus;

c) que não nos contaminemos pela forte tendência que temos de fazer as coisas erradas;

d) e que Deus nos livre de fazer o mal e de sermos atingidos pelas maldades das pessoas.

E o Pai-Nosso tem duas conclusões:

1ª) um louvor: "Porque vosso é o Reino, o Poder e a Glória, para sempre!";

2ª) uma afirmação: "amém", que na cultura de Jesus significava algo sólido, seguro, confiável. Deus é nosso "amém". E significa também que "se cumpra o que o nosso coração deseja".

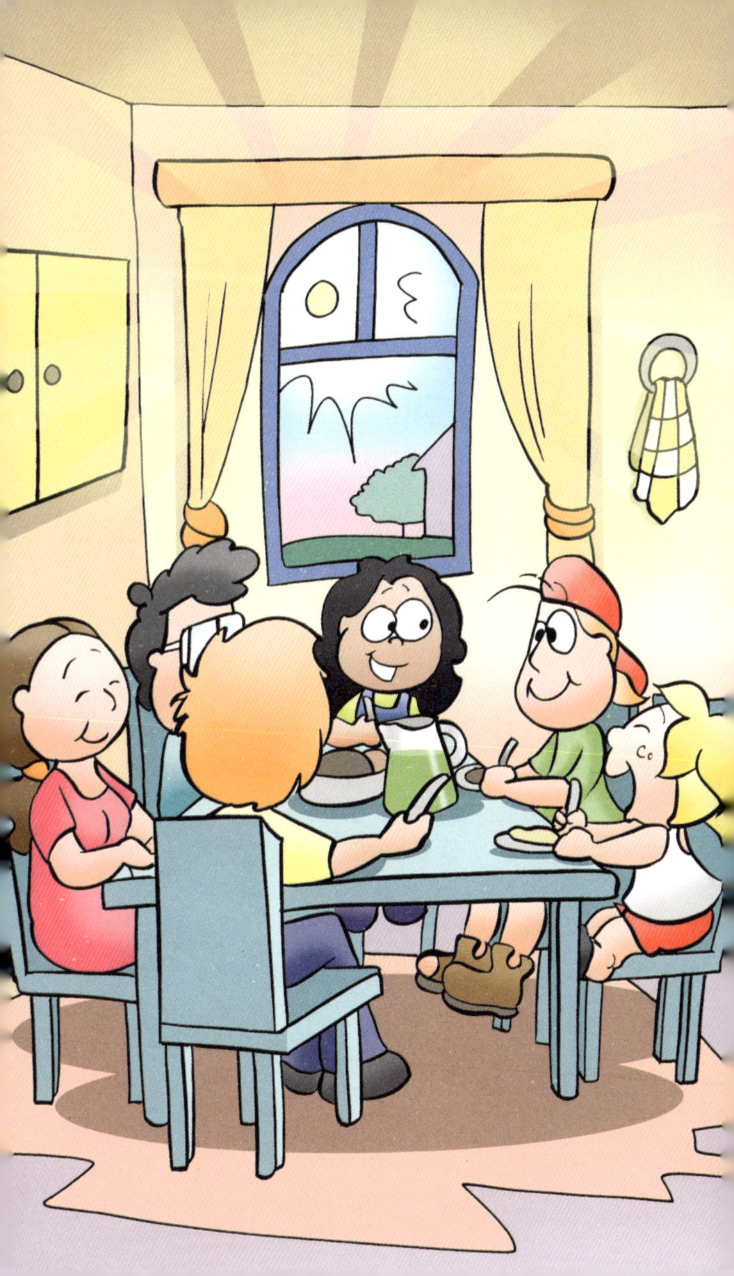

7. Aprendemos a amar a Deus

No começo do ano, em uma reunião, em nossa Igreja, recebemos uma tarefa. Formar durante a semana grupos de leitura para comentar uma parte do capítulo 4 da Primeira Carta de São João.

Naquela mesma semana aconteceu o aniversário da minha querida tia Graça. Todo o nosso grupo de amigos foi convidado para cantar os parabéns. Quando já estávamos ali, tia Graça, que é muito religiosa, agradeceu pela nossa presença e pediu para que rezássemos louvando a Deus pelo dom da vida, da fé e da amizade.

Depois, ela abriu a Bíblia e leu algumas frases. Eram exatamente daquele texto da carta de são João, recomendada no domingo para lermos em grupo. Só que ela leu de modo diferente. Nós repetíamos cada frase. Achei legal. No final da leitura, tia Graça repetiu as principais frases do texto:

"Amemo-nos uns aos outros, porque o amor vem de Deus. Quem ama nasceu de Deus e já conhece a Deus. Quem não ama não conhece a Deus, porque Deus é amor!".

E a outra passagem também foi superlegal: "Quem diz que ama a Deus, mas não ama o seu irmão, é mentiroso. Quem não ama a seu irmão — a quem vê —, não é capaz de amar a Deus — a quem não vê. Quem ama a Deus, também ama a seu irmão".

Minha tia explicou que a palavra irmão neste trecho da Bíblia significa o outro, qualquer pessoa, mas de modo especial, o mais frágil, o doente, o pobre... Concluímos aquele belo momento de oração de aniversário da tia Graça, rezando, de mãos dadas, o Pai-Nosso.

Depois, com alegria, cantamos o "Parabéns a Você". Mas, como todos conhecíamos uma outra letra, cantamos uma segunda vez, assim: "Com imensa alegria, suplicamos aos céus: proteção de Maria e as bênçãos de Deus!".

Em seguida — ah, em seguida —, aproveitamos os gostosos quitutes que só a tia Graça sabe e adora fazer. Uma delícia!

No dia seguinte, mamãe e eu fomos a uma creche de crianças bem pobrezinhas. Quando voltávamos de lá, ela me disse: "Maíra, ontem, na casa da tia Graça, meu coração me disse que precisamos colocar em prática aquilo que são João nos falou sobre amar a Deus e ao irmão!". Eu, sem pensar, respondi: "Mãe! Posso ajudar também?!". Ela me deu um beijão: "Vamos conversar com todos lá em casa... Eu gostaria que toda a nossa família participasse".

Conversamos e decidimos ajudar a creche. Tenham certeza. Isso nos está fazendo bem mais felizes!

8. Cidadãos deste mundo

Na escola onde eu estudo foi realizada a Semana das Boas Maneiras. Estudamos sobre coisas simples, mas fundamentais em nossa vida, tais como: ser bem-educado, saudar as pessoas, pedir licença, pedir desculpas, estar atento para ajudar alguém que precisa, cuidar da limpeza e manter as coisas em ordem. Mas, sobretudo, respeitar os outros, cuidar dos outros.

Eu guardei bem esta orientação de nossa professora: "Todos nós queremos e gostamos das coisas limpas, bonitas, em ordem. Isso é ótimo! Então, devemos pensar que o outro também gosta das coisas dessa maneira. Se fizermos tudo para agradar aos outros, é certo que eles pensarão em nós e farão de tudo para nos agradar".

LIXO

E nossa professora concluiu com esta bonita frase: "o melhor jeito para ser feliz, é fazer os outros felizes. No final, todos vão querer fazer o mesmo pra gente!".

No último dia da Semana das Boas Maneiras havia vários cartazes nos corredores da escola. Eu escrevi no meu cartaz, com letra bem grande, bem enfeitada e ao lado de um desenho de pessoas abraçadas, este pensamento: "Faça aos outros, o que você gostaria que eles fizessem para você!".

E alguém colocou um outro cartaz ao lado do meu, com uma frase que dizia assim: "Seja esperto. Faça o outro feliz! Sabe por quê? Ele fará você mais feliz ainda!".

Lindo! Não é mesmo?!

9. Um novo segredo para a felicidade

Em maio, a nossa turma de catequese foi dividida em grupos. E cada grupo recebeu uma cena do Evangelho para apresentar em forma de teatrinho. O meu grupo leu e ensaiou com a ajuda da dona Lia, mãe da Matilda, uma cena que está no Evangelho chamada Julgamento Final. No começo achamos difícil, mas depois, que entendemos a mensagem, ficou fácil.

Um dos meninos fez o papel de Jesus, coroado de rei, sentado em um trono. Os demais foram divididos em dois grupos. Um grupo ficou do lado direito e o outro ficou do lado esquerdo. Todos olhavam para Jesus no seu trono, aguardando o que ele tinha a dizer. Eu fiz o papel de narradora da história.

Comecei contando a história:

— No final dos tempos, Jesus vai fazer um julgamento. Ele dirá a quem estiver à sua direita...

O menino que fazia Jesus disse:
— Agora vocês podem entrar para a vida eterna feliz. Porque eu estava com fome e sede, eu não tinha onde ficar. Fui colocado na cadeia. E também fiquei doente. Em todas essas situações vocês cuidaram de mim!

Meus colegas do lado direito disseram:

— Mas, senhor, nós nem vimos o senhor lá na terra! Muito menos desse jeito!

Nesse momento, eu, como narradora, li:

— E Jesus respondeu...

E o menino que fazia o papel de Jesus completou:

— Todas as vezes que vocês fizeram isso a quem mais precisava, era a mim mesmo que vocês faziam! Portanto, entrem para a felicidade!

Eu, de novo:

— Em seguida, Jesus se voltou para os que estavam à sua esquerda e disse...

O menino que interpretava Jesus falou:

— Vão todos para o castigo eterno, para o sofrimento eterno. Eu estava com fome e sede, não tinha onde morar, estava doente, fui colocado na cadeia. E vocês não cuidaram de mim!

Meus colegas da esquerda disseram:

— Mas senhor, nós nem vimos o senhor lá na terra!

E Jesus respondeu:

— Pois é. Todas as vezes que vocês não fizeram isso a quem mais precisava, foi a mim que vocês deixaram de fazer! Portanto, podem ir para a desgraça eterna!

E o nosso grupo se voltou para a turma toda que nos assistia, dizendo em coro:

— Eis o que diz Jesus: Quem fizer o bem aos mais pobres, a mim mesmo estará fazendo este bem! E é este que será salvo.

Claro que recebemos muitos aplausos. Mas para mim o que marcou para o resto de minha vida foi esta mensagem forte de Jesus: só será salvo quem me servir nas pessoas mais necessitadas!

10. Um gesto tão simples, mas...

Um dia eu estava folheando um livro muito bonito. Primeiro, olhava as ilustrações. Depois comecei a ler o texto. Foi quando encontrei uma explicação que para mim valeu muito.

Uma bela senhora ensinou o seguinte para sua filhinha:

— Filha, o sinal da cruz é feito por meio de alguns gestos e de uma frase. É algo simples, mas com um significado muito, muito importante.

Primeiro: quando dizemos "em nome do Pai e do Filho e do Espírito Santo", estamos renovando a nossa comunhão com Deus, realizada no dia em que fomos batizados. Naquele dia, quando a água abençoada foi derramada em nossa cabeça, quem nos batizou, disse: "Eu te batizo em nome do Pai e do Filho e do Espírito Santo!". A partir daquele instante estamos em união com Deus, somos templos vivos de Deus, pertencemos a Deus e Deus está em nós.

Segundo: quando traçamos sobre o nosso corpo o sinal da cruz, estamos agradecendo a Jesus pelo seu maior gesto de amor, isto é, quando deu a sua vida por nós morrendo na cruz. Ele disse que a maior prova de amor é dar a vida pela pessoa que a gente ama. E ele fez isso por nós, para nos garantir a vida feliz com Deus, longe do mal.

Terceiro: quando fazemos o sinal da cruz, na verdade estamos agradecendo a Deus por tudo o que conseguimos fazer ou estamos oferecendo a ele o que ainda vamos fazer.

A menina exclamou:

— Mãe! Obrigada por me ensinar tudo isso. Vou caprichar sempre quando fizer o sinal da cruz. E também fazer tudo com muito amor, pois sou de Deus e Deus está em mim!

43

11. Homenagem à mamãe de Jesus

Nossas famílias se inscreveram na peregrinação promovida por nossa paróquia ao Santuário de Nossa Senhora Aparecida. Em uma das reuniões, na qual só faltou o pai do Babo, porque estava viajando, aprendi algumas coisas muito interessantes sobre a mamãe de Jesus. Não sei se vocês sabem disso.

Existe apenas uma Nossa Senhora, a mãe de Jesus, que é Maria. Só que ela é homenageada com muitos apelidos ou títulos de honra. Às vezes com o nome de uma cidade, outras vezes com o nome de uma qualidade, de uma virtude ou de uma necessidade. Eis alguns exemplos: a cidade de Lourdes, na França, deu a Maria o apelido de Nossa Senhora de Lourdes. O mesmo aconteceu com a cidade de Fátima, em Portugal.

O nome Nossa Senhora das Graças surgiu porque a mamãe de Jesus atrai sobre nós a atenção amorosa de Deus, que é a graça. Existe também Nossa Senhora do Bom Parto, Nossa Senhora da Boa Viagem, Nossa Senhora da Boa Morte.

O senhor Mauro, pai do Moscão, nos disse que quem não é capaz de honrar a mãe da gente nos ofende. Ora, como pode alguém ser seguidor de Jesus e não honrar a mãe dele? É claro que a gente só pode adorar a Deus, mas honrar Maria, a mamãe de Jesus, nunca nos desvia de Deus. A honra maior dela é que seu Filho querido, Jesus, tenha muitos amigos, muitos discípulos.

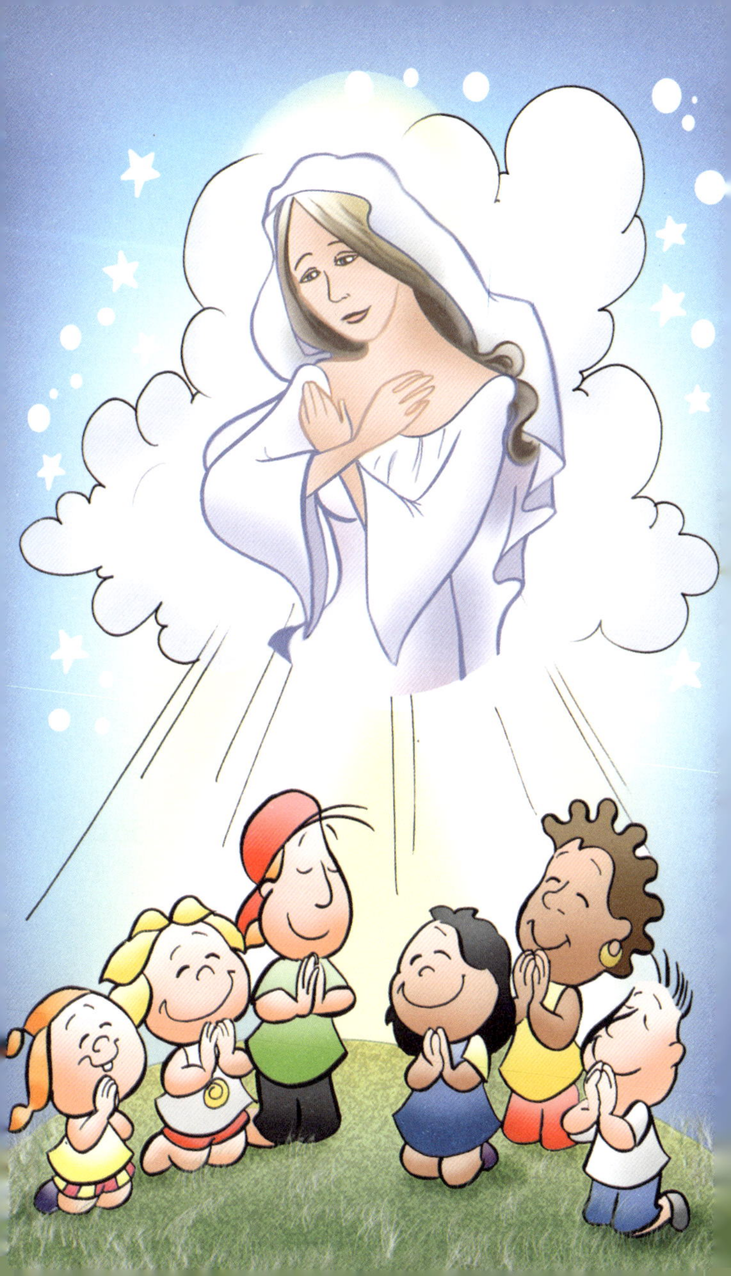

12. A saudação a Maria

Naquela reunião de preparação de nossa ida ao Santuário de Nossa Senhora Aparecida, foi-nos lembrada mais uma vez a maneira como surgiu a oração Ave-Maria. Ela foi construída aos poucos.

A primeira parte: "Ave, Maria, cheia de graça..." é do anjo Gabriel quando, por mando de Deus, ele foi comunicar a Maria que Deus a havia escolhido para ser a mãe de Jesus, o Filho de Deus Pai, que devia nascer neste mundo para nos fazer felizes. Maria questionou muito o anjo, mas depois disse: "Faça-se em mim como Deus quer!".

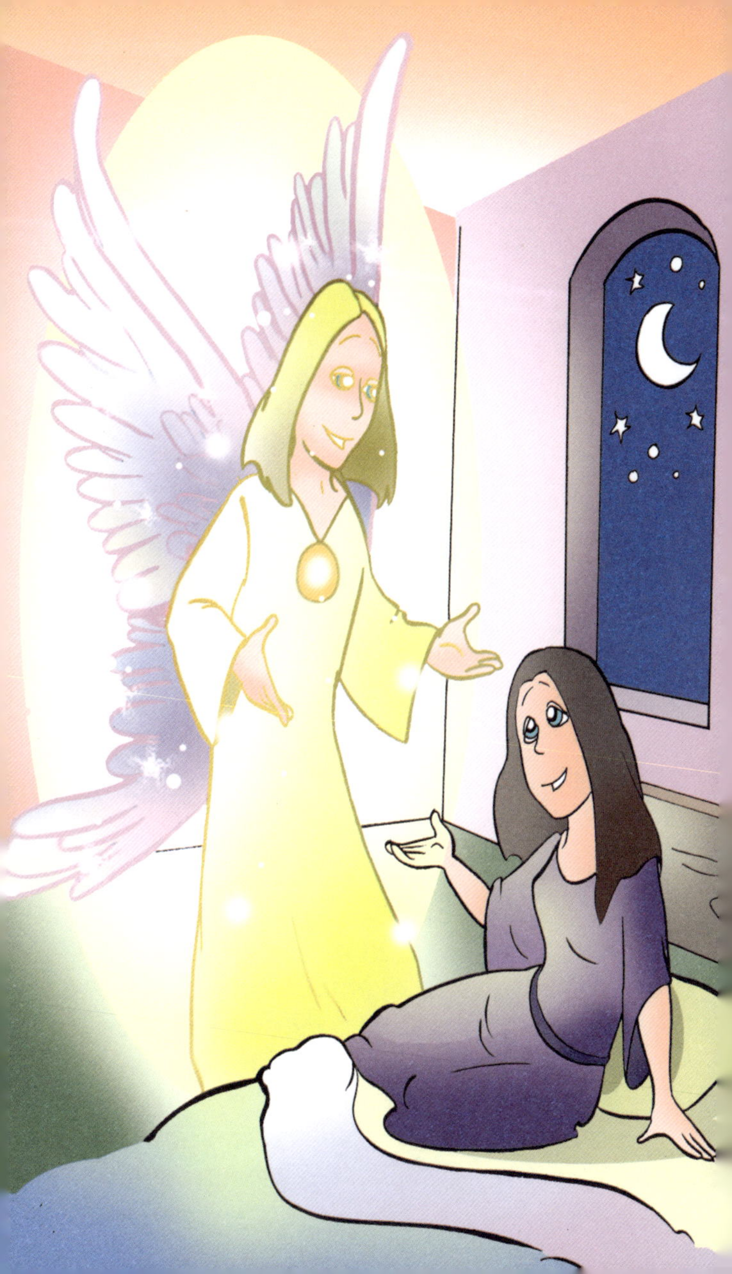

A outra parte é de uma prima de Nossa Senhora, chamada Isabel. Maria foi visitá-la e quando Isabel recebeu Maria, que estava grávida de Jesus, ficou tão contente que gritou de alegria: "Maria, bendito é o fruto de teu ventre!". Essa saudação de Isabel significa "abençoado é o filho que trazes dentro de ti".

E a última parte da Ave-Maria, que começa assim: "Santa Maria, mãe de Deus..." foi o povo que acrescentou quando as autoridades de nossa Igreja declararam como verdade, para sempre, que Maria é mãe de Deus, porque é mãe de Jesus, o Filho de Deus.

Quando rezamos ou cantamos a Ave-Maria, estamos saudando a mamãe de Jesus. Nós agradecemos, então, o sim que ela deu à vontade de Deus e a fez a mamãe de Jesus. Agradecemos tudo o que ela fez por Jesus. Mas, ao mesmo tempo, lhe pedimos para nos ensinar a ser verdadeiros amigos de seu Filho querido, Jesus.

É bom saber também que, quando rezamos a Ave-Maria, estamos colocando no coração de Deus todas as mamães.

13. A Primeira Comunhão Eucarística

Uma colega nossa nos convidou para a sua Primeira Comunhão Eucarística. Todo o grupo compareceu. Eu já participei de outras celebrações assim, mas esta foi muito especial. Tudo estava muito bonito: os cantos, a participação dos catequizandos, a alegria dos pais, o carinho das catequistas e o modo como o padre presidiu a celebração.

A Bíblia foi levada solenemente. Cantamos com muita vibração, aclamando a Palavra de Deus no livro sagrado. Aplaudimos esse precioso e santo livro.

O padre nos explicou que o amor de Jesus foi tão grande, mas tão grande que ele resolveu usar seu poder de Deus para ficar conosco para sempre. Jesus disse assim: "Este pão, agora, sou eu. Por meio dele quero viver dentro de cada um. Este pouco de vinho sou eu. Por meio dele quero viver dentro de cada um!".

Então, cada vez que eu ouço o padre falar sobre o pão e o vinho — "Isto é meu corpo, isto é meu sangue" —, renovo minha fé no fato maravilhoso de que Jesus se faz presente para vir morar dentro de nós.

O padre nos disse também que a palavra "primeira" significa o começo de toda uma vida de comunhão eucarística, de união com Jesus por meio da palavra de Deus na Bíblia, por meio do pão e do vinho consagrados na missa, por meio da participação na comunidade de Jesus e do compromisso com ele para fazer as pessoas felizes. A Primeira Comunhão Eucarística é, portanto, o começo de uma nova etapa em nossa vida de amigos de Jesus: a de participantes de sua mesa e de sua comunidade.

Depois da belíssima celebração houve um momento de confraternização com salgadinhos, doces, refrigerantes. E o interessante foi que todo o nosso grupo, num determinado momento, se juntou num canto e, assim, de uma só vez, como se tivesse ensaiado, disse: "No ano que vem, a nossa festa da Primeira Comunhão Eucarística vai ser também no capricho!". E nos abraçamos de alegria.

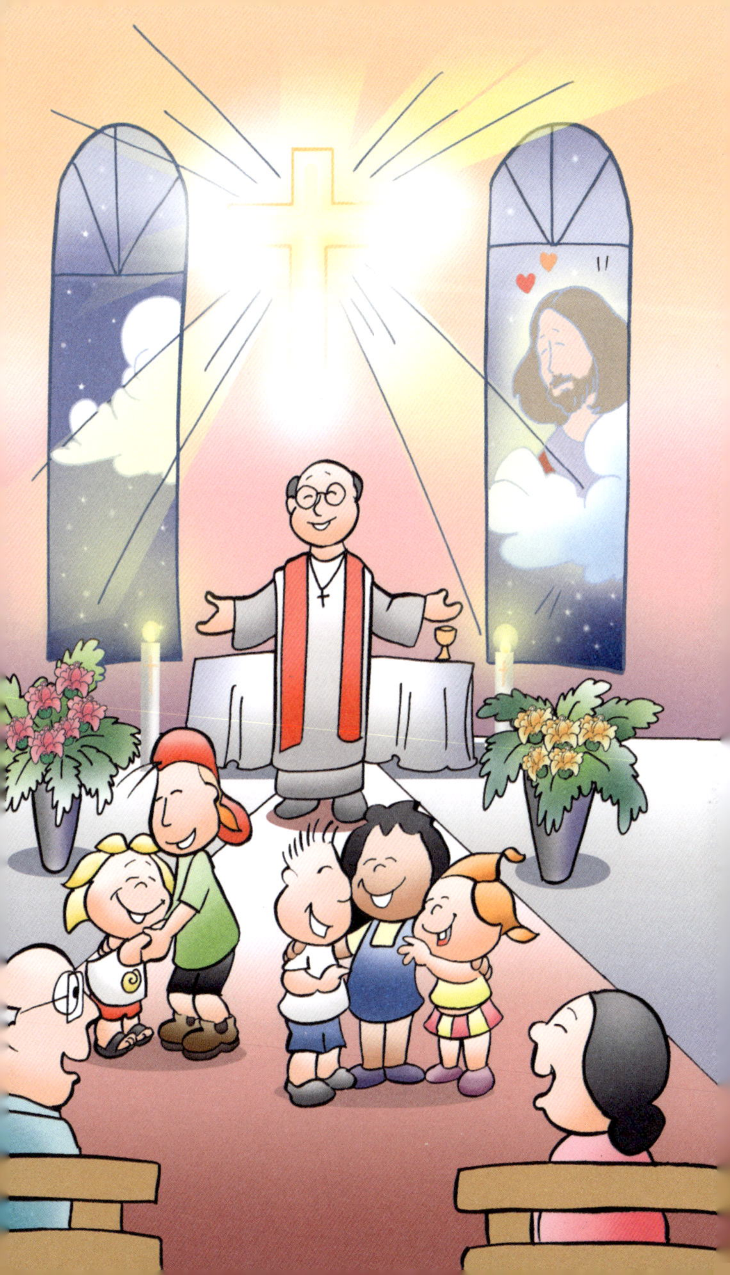

14. Amigos para sempre

Tempos atrás, estávamos novamente na casa da tia Graça. Ela gosta muito de nós e nós gostamos muito dela. Mas há um outro motivo para irmos lá. Ela é especialista na arte de cozinhar e faz umas coisas gostosíssimas.

Colocamos uns CDs e começamos a jogar conversa fora, falar de nossas coisas da escola, da família, do futebol, das figurinhas, dos *games*, dos filmes, das brincadeiras...

Depois que saboreamos seus gostosos quitutes, tia Graça nos entregou a letra de uma canção para que lêssemos e conversássemos sobre a letra do refrão. É aquele trecho que a gente repete durante um canto:

Amigos para sempre é o que nós iremos ser. Na primavera ou em qualquer das estações. Nas horas tristes, nos momentos de prazer, amigos para sempre...

Ela nos disse, emocionada: "Meus filhos! Eu fico muito feliz vendo vocês assim, tão unidos, ajudando-se uns aos outros, fazendo tanta coisa boa para as crianças pobres, indo à igreja, sendo responsáveis na escola, na família, nas brincadeiras... O meu sonho é que a amizade de vocês nunca termine!..."

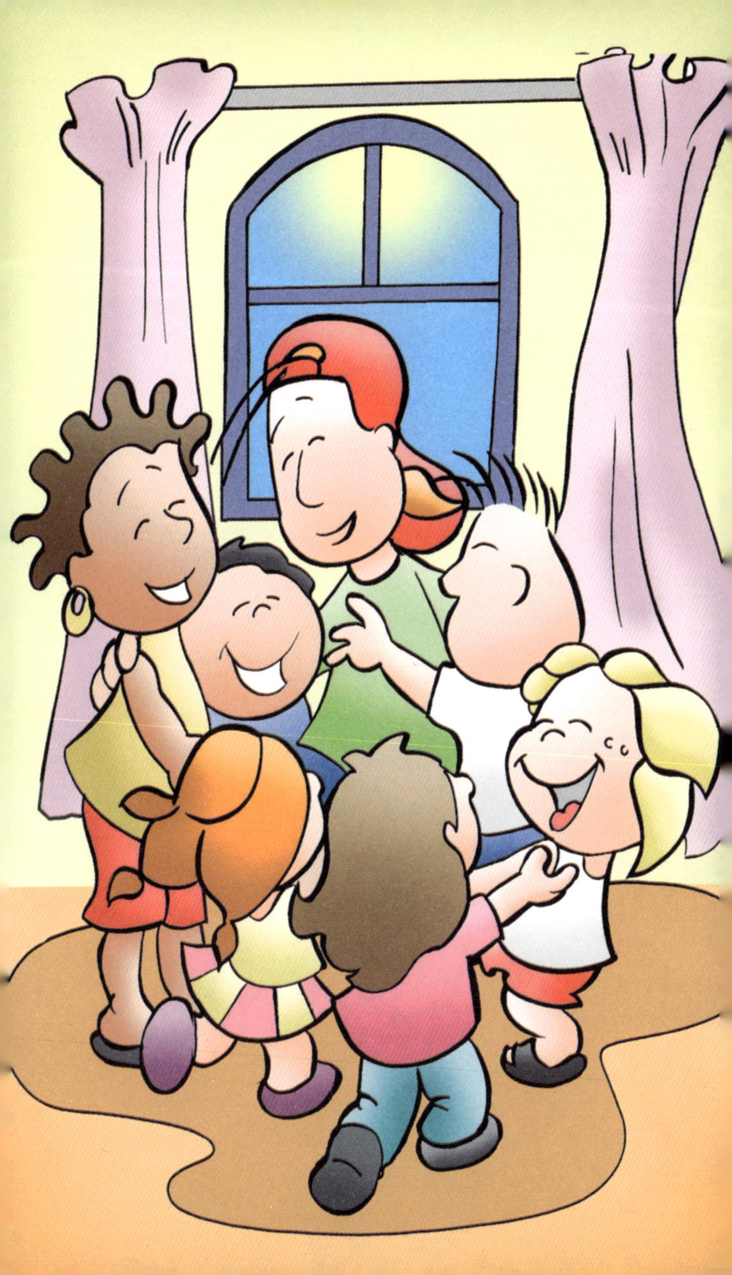

Fizemos, então, uma rodinha e nos demos as mãos. Ela colocou o CD. Ah! Foi emocionante quando todos repetimos com entusiasmo o refrão:

Amigos para sempre é o que nós iremos ser. Na primavera ou em qualquer das estações. Nas horas tristes, nos momentos de prazer, amigos para sempre...

Cada vez que eu ouço essas frases — sabe! — me dá um nó na garganta. E revivo aquele momento em que, de mãos dadas, pedimos a Jesus para nos fazer crescer na união e na amizade para a vida toda.

Até estou aproveitando este relato para agradecer a Jesus por nossa turma tão unida, nossos pais, nossos catequistas, nossa comunidade, nossa Igreja, nossa escola...

Mas por ora penso que é o suficiente. Espero que vocês tenham gostado do que lhes contei. E como gosto de escrever, quem sabe um dia eu continue a contar mais histórias, minhas e da minha turma.

Para vocês, beijos carinhosos meus e de toda a turma: Maíra, Cassilda, Babo, Moscão e Matilda.

E de nossas famílias também!!!
Tchau! Até breve!

Maíra